这是我的书
It's MY BOOK
7级：400字

了不起的动物

聪明的乌鸦

作者：谷文瑞（Ramond Ku）
配图：秦志宁（Zhining Chin）

北京语言大学出版社
BEIJING LANGUAGE AND CULTURE UNIVERSITY PRESS

PHOENIX TREE PUBLISHING INC.

识读 聪明 群 被 换
接住 倒 壳 旁

句型 ……被……

字数 414字

wǒ hé bà ba mā ma zài shù lín li kàn dào hěn
我和爸爸妈妈在树林里看到很
duō niǎo bà ba wèn nǐ zhī dào shén me niǎo zuì
多鸟。爸爸问："你知道什么鸟最
cōng ming ma wǒ shuō bù zhī dào tā zhǐ
聪明吗？"我说："不知道。"他指
zhe shù shang yì qún yòu dà yòu hēi de niǎo shuō wǒ
着树上一群又大又黑的鸟说："我
men lái hǎo hǎo kàn kan wū yā ba
们来好好看看乌鸦吧。"

bà ba gào su
爸爸告诉
wǒ wū yā huì bǎ
我："乌鸦会把
dài yìng ké de guǒ shí fàng zài mǎ lù shang ràng kāi guò
带硬壳的果实放在马路上，让开过
de chē bǎ ké yā suì zhè yàng tā men jiù néng
的车把壳压碎。这样，它们就能
chī dào lǐ miàn de guǒ shí le wū yā kě néng gàn
吃到里面的果实了。乌鸦可能干
le rú guǒ xùn liàn de hǎo tā men hái néng dài zhe
了！如果训练得好，它们还能带着
gǒu zǒu lù ne
狗走路呢！"

wǒ kàn dào yì
我看到一
zhī wū yā zhàn zài shù
只乌鸦站在树
zhī shang ràng zì jǐ
枝上，让自己
de shēn zi dào guà xia
的身子倒挂下
lai rán hòu tā fàng
来；然后它放
kai yì zhī jiǎo zhǐ
开一只脚，只
yòng yì zhī jiǎo guà
用一只脚挂
zhe jiē zhe tā yòu huàn chéng lìng yì zhī jiǎo
着；接着，它又换成另一只脚。
hěn duō wū yā zài yì páng gāo xìng de jiào zhe xiàng
很多乌鸦在一旁高兴地叫着，像
shì zài gěi tā jiào hǎo
是在给它叫好。

kàn zhè zhī wū yā bǎ xiǎo shù zhī rēng xiàng
看！这只乌鸦把小树枝扔向

kōng zhōng zài shù zhī kuài yào luò dì shí tā mǎ
空中，在树枝快要落地时，它马

shàng fēi guo qu yòng zuǐ jiē zhù měi cì jiē zhù shù
上飞过去用嘴接住。每次接住树

zhī qí tā wū yā dōu huì gāo shēng jiào qi lai
枝，其他乌鸦都会高声叫起来。

qí shí wū yā yì diǎnr dōu bù lǎo
其实，乌鸦一点儿都不老
shi wǒ kàn jiàn yǒu zhī wū yā zuǐ li hán zhe xiǎo
实，我看见有只乌鸦嘴里含着小
shí tou cóng yì kē shù fēi dào lìng yì kē shù
石头，从一棵树飞到另一棵树。
zài kuài fēi dào nà kē shù de shí hou tā huì duì
在快飞到那棵树的时候，它会对
zhǔn niǎo wō rēng xiǎo shí tou rú guǒ rēng jin qu
准鸟窝扔小石头。如果扔进去
le páng biān de wū yā jiù gāo shēng hǎn jiào rú
了，旁边的乌鸦就高声喊叫；如
guǒ méi rēng jin qu wū yā men huì bù gāo xìng de
果没扔进去，乌鸦们会不高兴地
jiào zhe wū
叫着：“呜……”

zhù yì zhè zhī wū yā zuǐ li hán zhe yì xiǎo kuài
注意！这只乌鸦嘴里含着一小块
shí tou fēi guo lai le tū rán tā gù yì bǎ xiǎo shí
石头飞过来了。突然，它故意把小石
tou rēng dào zhèng zài shuì jiào de tù zi shēn shang tù zi
头扔到正在睡觉的兔子身上。兔子
bèi jīng xǐng le hěn bù míng bai de dōng kàn xī kàn
被惊醒了，很不明白地东看西看。
zhè shí nà zhī wū yā
这时，那只乌鸦
yǐ jīng fēi de lǎo yuǎn
已经飞得老远，
hái dé yì de jiào zhe
还得意地叫着。

wū yā néng zuò zhè me duō shì qing dà zì
乌鸦能做这么多事情，大自

rán zhēn shì tài shén qí le
然真是太神奇了！

1 我和爸爸妈妈在树林里看到很多鸟。爸爸问："你知道什么鸟最聪明吗？"我说："不知道。"他指着树上一群又大又黑的鸟说："我们来好好看看乌鸦吧。"

2 爸爸告诉我："乌鸦会把带硬壳的果实放在马路上，让开过的车把壳压碎。这样，它们就能吃到里面的果实了。乌鸦可能干了！如果训练得好，它们还能带着狗走路呢！"

3 我看到一只乌鸦站在树枝上，让自己的身子倒挂下来；然后它放开一只脚，只用一只脚挂着。接着；它又换成另一只脚。很多乌鸦在一旁高兴地叫着，像是在给它叫好。

4 看！这只乌鸦把小树枝扔向空中，在树枝快要落地时，它马上飞过去用嘴接住。每次接住树枝，其他乌鸦都会高声叫起来。

5 其实，乌鸦一点儿都不老实，我看见有只乌鸦嘴里含着小石头，从一棵树飞到另一棵树。在快飞到那棵树的时候，它会对准鸟窝扔小石头。如果扔进去了，旁边的乌鸦就高声喊叫；如果没扔进去，乌鸦们会不高兴地叫着："呜……"

6 注意！这只乌鸦嘴里含着一小块石头飞过来了。突然，它故意把小石头扔到正在睡觉的兔子身上。兔子被惊醒了，很不明白地东看西看。这时，那只乌鸦已经飞得老远，还得意地叫着。

7 乌鸦能做这么多事情，大自然真是太神奇了！

1

2

3

4

5

6

看图讲故事

7